UNE H
À TOUTES LES SAUCES

SEJER, 25 avenue Pierre-de-Coubertin, 75013 Paris
Loi n° 49-956 du 16 juillet 1949 sur les publications destinées à la jeunesse,
modifiée par la loi n° 2011-525 du 17 mai 2011

ISBN 978-2-09-254986-5

UNE HISTOIRE
À TOUTES
LES SAUCES

Gilles Barraqué

Illustrations de Gaëtan Dorémus

Nathan

Ce livre est bien sûr un hommage
aux Exercices de style *de Raymond Queneau.*

L'histoire sans sauce

Maman m'a raconté cette histoire en rentrant du travail : en passant par le square près de la mairie, elle a vu un chat qui essayait d'attraper un oiseau posé au bord du bassin ; le chat a sauté, mais l'oiseau s'est envolé ; alors le chat est tombé à l'eau.
Cette histoire m'a beaucoup fait rigoler.

RECETTES DU MONDE

(jeux sur le contexte
et sur l'univers de l'histoire)

À la sauce africaine

Yaye m'a dit ce qu'elle a vu en revenant du champ de manioc : à la mare près du grand baobab, un jeune lion chassait une poule d'eau ; le lion a bondi, mais la poule s'est enfuie ; et le lion est tombé dans la mare.
J'ai ri, j'ai ri si longtemps que mon ventre me faisait mal.

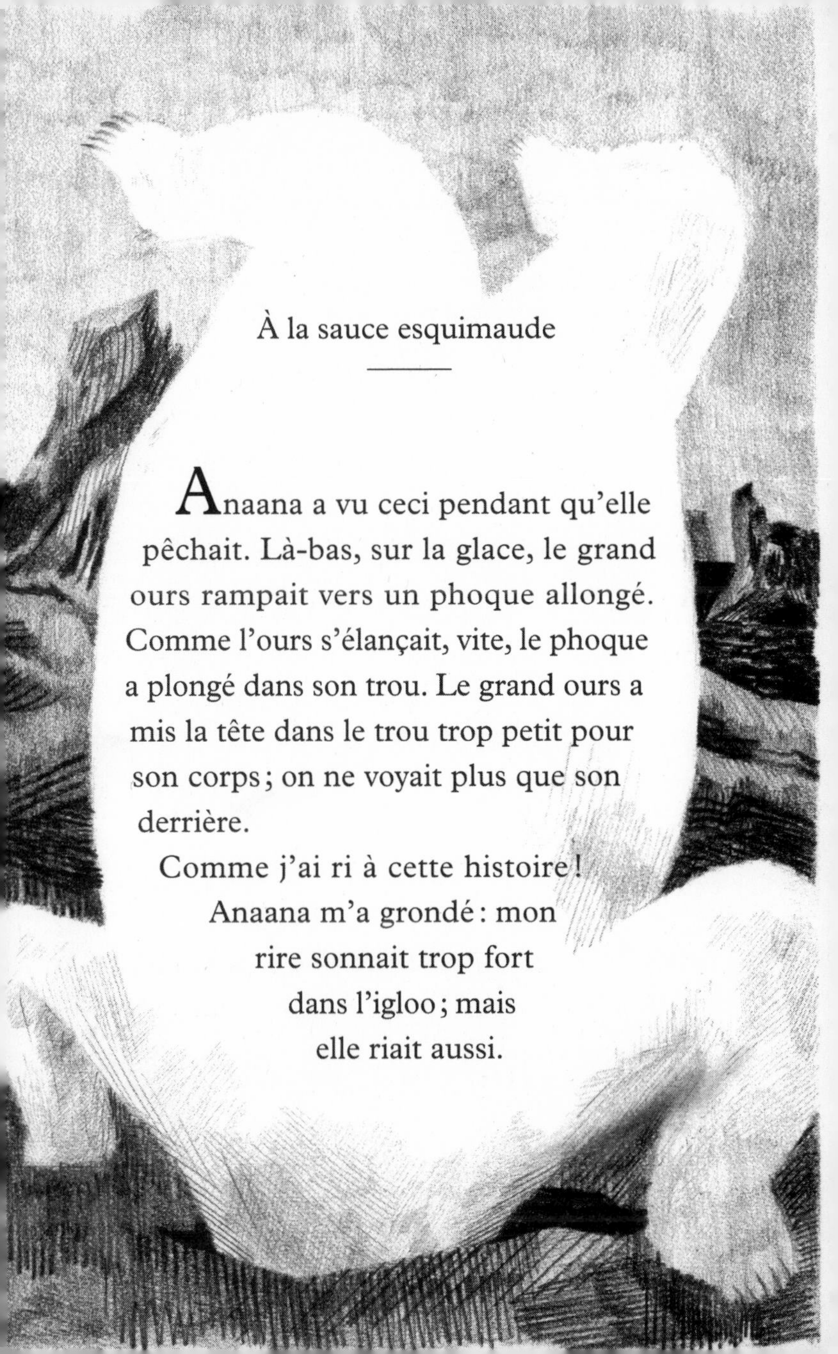

À la sauce esquimaude

Anaana a vu ceci pendant qu'elle pêchait. Là-bas, sur la glace, le grand ours rampait vers un phoque allongé. Comme l'ours s'élançait, vite, le phoque a plongé dans son trou. Le grand ours a mis la tête dans le trou trop petit pour son corps ; on ne voyait plus que son derrière.

Comme j'ai ri à cette histoire ! Anaana m'a grondé : mon rire sonnait trop fort dans l'igloo ; mais elle riait aussi.

À la sauce peau-rouge

Ombre-sur-l'Eau a jeté son fagot devant le tipi. Elle a aussitôt raconté ce qu'elle avait vu dans la forêt en ramassant le bois mort ; nous étions toutes à l'écouter : moi, sa fille, les deux autres femmes de mon père (le grand guerrier Cheval-Fou), et plusieurs de mes sœurs. « J'ai vu le puma près du fleuve rouge. Sûrement un jeune d'une ou deux neiges, car c'était un très mauvais chasseur : la perdrix qu'il avait suivie jusqu'à la rive s'est envolée quand il a bondi ; frère puma s'est retrouvé à l'eau. »

Pourquoi avons-nous tant ri ? Sans doute à cause de la maladresse du jeune puma ; peut-être aussi parce que le puma est le totem de Cheval-Fou... Que les femmes de notre peuple sont moqueuses !

À la sauce martienne

Xixi, mon père-mère, m'a bullé ce message en revenant de Neptune : il globait tranquillement à côté de sa soucoupe, près d'un lac d'ammoniaque, quand il a vu un pauvre brouzoul qui perdait ses écailles en train de chasser le raton gluant. Zip, le brouzoul glisse sur un de ses tentacules, smug, le raton se divise en trois, et frrrtch, voilà notre brouzoul en train de frire dans l'ammoniaque, comme un gros beignet de pozzo !
Org, org, org, j'ai le branchion qui me secoue en dedans de la carapace ! Y'a de la glumée qui me sort de partout !

À la sauce sorcière

Cornula, c'est ma mère, et c'est sûrement la plus laide, la plus sale et la plus méchante des sorcières. À peine rentrée de la forêt, où elle était allée ramasser des champignons pourris et quelques crapauds pour la soupe, elle m'a raconté cette histoire : en survolant le château d'une princesse, à cheval sur son balai, elle a vu

un chat sauter sur une colombe près de la fontaine ; mais la colombe s'est envolée, et le chat est tombé à l'eau. Alors maman a fait demi-tour : rien que pour embêter la princesse, pouitch, elle a changé le chat en dragon volant ; comme ça, il pouvait attraper toutes les colombes du château !

Moi, Maléfils, le fils préféré de Cornula, je me suis mis à ricaner, tout en continuant à éplucher les crapauds pour la soupe.

RECETTES DE BOUCHE À OREILLE

(jeux sur les sonorités)

À la sauce à l'ail

Mamaille ouvre le portail en rentrant du travail. Elle enlève son chandail (qui se démaille) et me raconte une bataille dans le détail : au jardin Raspail, un chat comme un épouvantail, tous les poils en pagaille, cherche de la boustifaille. Il assaille une petite caille qui ramasse de la paille. Mais le chat déraille, il rate la caille qui se taille, et il finit à la baille !

Oyayaye, quelle rigolaille ! J'ai le bidon qui me tiraille ! Donnez-lui une médaille, à la caille !

À la sauce à l'ouille

Mamouille m'a raconté cette embrouille en rentrant du travouille. Dans le jardouille de la mairie, elle voit une fripouille de matouille en vadrouille sauter sur un merlouille qui gazouille. Je ne sais pas comment il se débrouille, mais le matouille merdouille : il termine bredouille et trempouille directement dans la mare aux grenouilles ! Non mais quelle nouille !
Et moi je rigole comme une andouille ! Ouille, ouille, j'ai mal au bide, pire que si on me chatouille !

À la sauce à l'A

Ma maman narra ça en gagnant tard l'appart'. Passant par hasard par le parc près du lac, elle avisa là-bas un chat bancal, cracra, rampant vers un ara de Madagascar – l'ara bavardant dans un acacia. Le chat s'avança pas à pas, crac, sauta. Plan fatal ! Car l'ara s'arracha, chantant « tralala, tralala ! ». Patatras, le chat s'affala au lac dans un grand ramdam.

Ah, ah ! Marrant, ton blabla, maman ! À part ça, t'as pas un carambar ou un malabar pour ta Natacha ?

À la sauce à l'eau

« Allô, allô ? » fait maman, son portable à l'oreille. « Je rentre du boulot au galop, mon angelot. Mais je vais te raconter ce méli-mélo rigolo avant qu'il me sorte du ciboulot. Voilà le tableau : au parc zoologique, sur l'île au milieu du bassin, je vois un ocelot qui s'apprête à boulotter un oiseau coloré, un loriot à peine éclos, tout ramollo. Quelle aubaine pour ce salopiaud d'ocelot ! Alors l'horrible saute sur le loriot, mais l'autre décolle aussitôt et s'envole au sommet d'un bouleau ! Ce ballot d'ocelot finit à l'eau, et tandis qu'il souffle comme un cachalot, le loriot lui joue un solo de piccolo du haut du bouleau ! »
Oh, ce boulot ! Un vrai film de Charlot ! Vas-y l'ocelot, hardi matelot ! Si tu sors vivant de l'eau, tu vas gagner le gros lot ! Tu sais ce que c'est ? Un pédalo !

À la sauce au sang

Ouf, voilà maman, je me faisais du mauvais sang (c'est agaçant, le temps qu'elle perd chez les commerçants) ! En se déchaussant pour s'enfiler des sandales, elle me raconte sans tarder cet épisode récent : passant par le jardin central, elle voit un ravissant chat persan menaçant un étourneau sansonnet, l'innocent sansonnet se rafraîchissant sans souci à deux centimètres d'un bassin croupissant. Pas de sentiments, le chat persan va s'en faire un sandwich, de ce sansonnet appétissant ! Pensant sans doute le sansonnet rêvassant, le persan se rassemble pour un bond puissant. Le sansonnet fait semblant de rien, mais sentant l'autre s'élançant, hop, il s'envole ! Quel sang-froid ! Et voilà le persan qui s'emmêle : glissant sur le versant du bassin, il s'enfonce dans l'eau salissante en poussant de grands cris aux accents perçants !

Ah, bon sang ! Si vous saviez ce que je ressens !
En un mot comme en cent : sensationnelle,
l'histoire du chat persan !

À la sauce à l'écho

Je suis le chouchou de tata Zaza, qui fait la nounou quand manman va au hammam. J'adore les petits cancans qu'elle me raconte à gogo. Comme ce rififi qu'elle a vu au square, entre un coucou et un toutou. Le coucou faisait le foufou dans un jujubier, quand un chienchien à sa mémère, tout riquiqui, s'est approché. Miam, miam, un coucou à tortorer, c'est tentant ! Mais le chienchien était un coco du genre nunuche. Il a fait tintin. Car flap, flap, le coucou s'est envolé sans s'en faire. Le pompon, c'est que le toutou s'est retrouvé baba et cucul, en tombant dans la fontaine qui glougloutait derrière le jujubier. Tata, t'as droit à un bonbon. Ce cancan-là était trop mimi, et pas du tout gnangnan. Ça vaut les histoires de Toto.

À la sauce qui fait du bruit

Dring ! c'est la sonnette : maman rentre du travail et elle a encore oublié ses clefs. On se fait la bise, smac, smac, et pof, elle jette son sac par terre. Paf, elle se tape sur le front en se souvenant d'un truc marrant qu'elle a vu en chemin. Une sorte d'oiseau faisait cui-cui au bord de la fontaine de la mairie. Zboïng, un chat lui saute dessus, pfuit, l'oiseau s'envole et plouf, le chat tombe à l'eau ! Miaou, miaouuu, pleurnichait-il en ressortant ! Gloub, gloub, gloub, gloussait la fontaine !

Ah, ah, ah !

RECETTES GOURMANDES

(jeux sur les mots et les doubles sens – à thématique gustative)

À la sauce aux légumes

Quelle salade, l'histoire que maman m'a racontée ! En faisant le marché, elle voit un chat poil de carotte qui poireaute près d'une flaque ; en fait, il guette un petit bout de chou de moineau en train de picorer du concombre. Le chat se radine en douce, saute, mais le pois chiche à plumes s'envole. Aïe ! Cette patate de chat se ratatouille la citrouille dans la flaque ! Il est tout aspergé !
Moi et maman, on a ri comme des cornichons. Jamais je n'avais entendu une histoire aussi bête.

Légumes cachés, dans l'ordre de lecture : poireau, radis, ail, asperge, haricot, navet, bette

À la sauce au fromage

Je n'ai pas entendu maman rentrer, car j'étais en train d'écouter du rock fort (le dernier Tom Waits). Elle est tout de suite venue me conter cette histoire gratinée : passant par le square, elle a vu un vieux chat plein de croûtes se couler dans les fines herbes, sans faire de brie. Ce chabichou guettait un petit oiseau bleu qui picorait du crottin près du bassin. Fais ta prière, l'oiseau ! Mais le chat avait les pattes molles ou la cervelle moisie : dès qu'il a sauté pour croquer l'oiselet cru, celui-ci s'est envolé et le minet a fini au fond du bassin ! Râpé pour toi, le chat ! Ferme ta boîte à camembert ! Après sa bûche, il est ressorti de l'eau piteux et poisseux. Quant à l'oiseau, il était en pleine fourme, physique et mentale.
Une devinette, pour finir : je fais du lait, j'ai des cornes, une tête rouge, et je rigole tout le temps sur l'étiquette. Qui suis-je ?

Éléments cachés, dans l'ordre de lecture : roquefort, tomme, comté, feta, pâte molle, lait cru, fondue, époisses, cantal, emmental

À la sauce aux fruits

L'autre jour (je ne me rappelle plus la datte), mamangue est rentrée du travail avec les jambes en compote (son métier, c'est de coller des prunes, c'est-à-dire des amandes, aux bananes qui se garent mal). Aussitôt, elle m'a raconté une histoire complètement tarte. « Écoute ça, Clémentine : dans un coing du square Olivier-Machin (un célèbre avocat), je vois un chat tout pelé qui s'apprête à cueillir un drôle d'oiseau (orange, avec la prunelle des yeux pistache). L'oiseau mange des graines près du bassin, sans se casser le citron ; il n'aura sûrement pas le temps de faire un zeste ; pas de quartiers, le chat lui fera la peau et le mettra en marmelade ! Petit pépin : au moment où le chat saute, café l'oiseau ? Il s'est envolé pour se percher en haut d'un mûre ! Résultat ? Plouf, au jus, le chat ! Il a failli se noyer ! Cerise sur le gâteau, il est ressorti tout marron ! Si, c'est vrai, gelée vu ! »

Hi, hi, hi, au régime, le chat ! J'imagine ce coco tout déconfit ! Épi zut, bien fait pour lui, il n'avait qu'à pas ramener sa fraise.

À la sauce aux gâteaux

Le métier de maman, c'est **diplomate**, et donc elle est toujours partie **cake part**. Ce soir, à peine descendue du **Paris-Brest**, tout en enfilant ses **chaussons**, elle m'a raconté une histoire très **croustillante** : passant par les allées **sablées** d'un square, elle voit un chat qui semble avoir la **pâte brisée**. Mais c'est du **flan** : le chat joue une **pièce montée** par lui ; il veut en fait **rouler** dans la **farine** un de ces petits **choux** de moineaux qui volettent partout en **mendiant** des bouts de **biscuits** (dont ils sont très **friands**). Et voilà bientôt le chat **fondant** sur un petit **chou** ; il **croit sans** doute l'avoir, mais en un **éclair**, l'oiseau s'envole et va se **fourrer** dans les **mille-feuilles** d'un arbre. Pour le chat, c'est la **tuile** : derrière, il y a un bassin rempli aux **quatre-quarts**, où il s'étale dans un grand **clafoutis** ! D'abord il en reste **baba**, puis il pleurniche comme une **madeleine**, en poussant de pauvres

« miaous » qui signifient « au secours ! » en **langue-de-chat**.

Moi et ma sœur **Charlotte**, on a ri comme des **petits-fours**.

RECETTES SELON L'HUMEUR

(jeux sur les sentiments, les tonalités)

À la sauce qui exagère (légèrement)

Énorme, l'histoire de maman ! Elle me l'a racontée en rentrant du travail, vers minuit (elle travaille vachement, maman). Ce matin, en passant par le jardin de la mairie (à peine moins grand que le parc du château de Versailles), elle a vu un chat gigantesque (de la taille d'une petite panthère) qui était tapi sous le plus vieil arbre (un chêne de trois mille ans, je crois). Il guettait une mouette bizarre (sans doute un albatros) posée près du bassin. Le chat a fait un bond fantastique (de seize mètres à peu près, d'après maman), mais l'albatros s'est envolé et a disparu dans le ciel en moins de trois secondes (montre en main). Le chat est tombé directement dans le bassin. Il était si gros que les éclaboussures ont inondé la façade de la mairie (jusqu'au clocheton). Et même, le temps que l'eau retombe, les gens ont couru se mettre à l'abri (sauf ceux qui avaient un parapluie).

Quand maman m'a raconté ça, j'ai attrapé un fou rire. Impossible de m'arrêter. Maman a cru que j'allais étouffer et elle a failli appeler les pompiers (mais finalement j'ai survécu).

À la sauce bobard

Je vais vous dire un secret, mais il faudra le garder. D'abord, je jure que c'est vrai. La preuve : c'est ma mère qui me l'a dit ; et ma mère, elle ne raconte pas n'importe quoi, sans ça le président de la République ne l'inviterait pas tout le temps dans son palais pour lui demander son avis sur les affaires du pays. C'est d'ailleurs en revenant un jour du palais qu'elle a découvert la chose. Elle rentrait donc à pied, pour ne pas déranger le président qui voulait comme toujours la raccompagner lui-même dans sa voiture blindée. En traversant le bois de Boulogne, elle passe le long d'un petit lac, et elle voit un pêcheur à la ligne qui tire sur sa canne à pêche ; il tire, il tire, et à ce moment... un crocodile gigantesque sort de l'eau et gobe le bonhomme comme un moucheron ! Si, c'est vrai ! Demandez plutôt à maman ! Et même au président !
On n'a jamais retrouvé le bonhomme, tu parles...

Depuis, évidemment, un sous-marin de guerre recherche ce monstre dans le lac et une armée de soldats déguisés en promeneurs fouille discrètement le bois. Quelle panique, si les gens apprenaient qu'il y a un crocodile géant en liberté juste à l'endroit où ils vont pique-niquer!
Je sais, ça paraît presque incroyable. Moi-même, j'avoue que si c'était pas maman qui me l'avait raconté, j'aurais éclaté de rire.

À la sauce au vinaigre

Cette vieille pie de maman m'a encore cassé les pieds avec son bavardage idiot. Une de ses histoires crétines. Elle revient du bureau, où elle fait semblant de travailler, et elle passe par l'horrible square de la mairie. Là, elle voit un sale minet tout pelé qui voudrait croquer un piaf. Ah, ah, bien fait pour le piaf, je les déteste, ces petits emplumés ! Ils sont remplis de poux, ils crottent partout sans regarder ce qu'il y a en dessous ! Alors le matou galeux saute, et, manque de chance, il rate le piaf. Du coup, cet imbécile de chat tombe à l'eau. Va donc, hé, minet minable ! Tu ne mérites qu'une chose, espèce d'incapable : *te noyer dans l'eau croupie de ce bassin plein de pelures !!!*
Quant à toi, maman, écoute-moi bien : elle est *nulle*, ton histoire. Ferme ton bec de bécasse, avale ta langue de perruche ! Tu me pourris les oreilles, avec ton fichu baratin !

À la sauce à l'eau de rose

Comme je t'aime, ma chère petite maman ! Tu prends toujours le temps de me raconter de gentilles histoires, bien que tu rentres épuisée du travail. Comme celle-ci, alors que tu passais par le joli square de la mairie, plein de belles fleurs (merci aux jardiniers !). Un adorable oisillon picorait près du bassin, quand un pauvre minou sans maître a voulu l'attraper, juste pour jouer. Mais l'oisillon avait compris la farce et il s'est envolé en pépiant de rire. Le minou est tombé à l'eau, et, quand il est ressorti, les deux amis, qui s'étaient tellement amusés, se sont promis de se revoir.

Mamounette, s'il te plaît, reste dans le canapé ! Tu me raconteras encore cette histoire délicieuse pendant que je te servirai ta tisane au miel.

À la sauce épouvantable

Vampira, la nouvelle amie de papa, aime me raconter des histoires horribles – parce qu'elle me déteste.

La dernière ? Cette nuit, comme c'était la pleine lune, elle revenait d'une cérémonie chez le Mage Noir, une tête de bouc sous le bras. En passant par le parc du manoir, elle a vu un loup-garou se jeter sur une biche blanche qui s'abreuvait à la mare au Diable. Mais la biche, avertie par une fée libellule, a eu le temps de s'échapper. Le loup-garou a hurlé de rage… et il est tombé dans l'eau. Dommage pour lui. Car qu'est-ce qu'il y a, au fond de la mare au Diable ? *Le monstre de l'Eau qui Dort !* Une sorte de triton géant, avec une gueule pleine de dents. Comme le loup-garou battait des bras dans la mare, le monstre a pointé sa tête dégoulinante de vase. Par ici la bonne soupe ! Un siècle qu'il ne mange que des têtards et des moustiques, alors tu

parles, un bon loup-garou bien gras... Scrontch, il a commencé par lui croquer une patte en apéritif. Le loup-garou nageait déjà beaucoup moins bien, mais il hurlait plus fort. Scrontch, une deuxième patte y est passée. Le loup gigotait encore en avalant de l'eau, et puis crac, le monstre a ouvert grand la gueule et il l'a gobé d'un coup. La mare au Diable n'était plus qu'une flaque de sang. Vampira, enchantée du spectacle, a jeté sa tête de bouc au monstre. Un succulent dessert.
Bon. Merci pour l'histoire, Vampira. Maintenant, moi, j'essaye de m'endormir. Du fond de mon lit, dans le noir, j'entends un hibou qui hulule, les meubles de ma chambre qui craquent, et il me semble bien que la poignée de la porte a grincé...

À la sauce grippe-sous

Elle rentre toujours trop tôt à la maison, ma très chère maman ; si elle travaillait davantage, elle gagnerait facilement le double. En plus, elle perd son temps à me raconter ce genre d'histoires à trois sous : passant par le jardin de la mairie, là où la boule de glace vaut une fortune, elle voit un miséreux de chat qui guette un oiseau au riche plumage (hé, mettez-vous à la place du chat : un oiseau gratuit !). Donc le chat veut à tout prix régler son compte à l'oiseau. Or, ce petit trésor s'envole sans demander son reste, juste au moment où le chat va se le payer ! Total : comme il y avait, derrière, un lac aux reflets d'argent, le pauvre chat tombe en plein dans le liquide ! Ah, il a gagné sa journée ! Tout ça pour rien ! Il aurait mieux fait de s'économiser !
Somme toute, même si ça me coûte de le dire, elle est impayable, cette histoire.

À la sauce de l'oubli

Qu'est-ce qu'elle m'a raconté, maman, l'autre fois ? Une histoire marrante ! Attendez que je m'en souvienne... Ah oui ! Elle rentrait du travail. Non, elle y allait ! Ou alors elle revenait de chez tata... Enfin, bon, disons qu'elle passait par quelque part. Et alors, tenez-vous bien, qu'est-ce qu'elle voit ? Euh, oui, au fait, qu'est-ce qu'elle a vu... Un chien, il me semble. Oui, sans doute un chien. Et ce chien voulait absolument attraper... un chat, je crois. C'est ça : un chat perché dans un arbre. Ou sur un mur. Un chat perché, quoi. Bref, le chien saute, et là... et là... Zut, je ne me rappelle plus la fin.
Mais tiens, vous allez rire : je ne me rappelle même plus qui m'a raconté ce truc-là... Si c'est maman ou tata.

RECETTES D'HIER ET D'AUJOURD'HUI

(jeux sur les formes littéraires)

À la sauce rébus

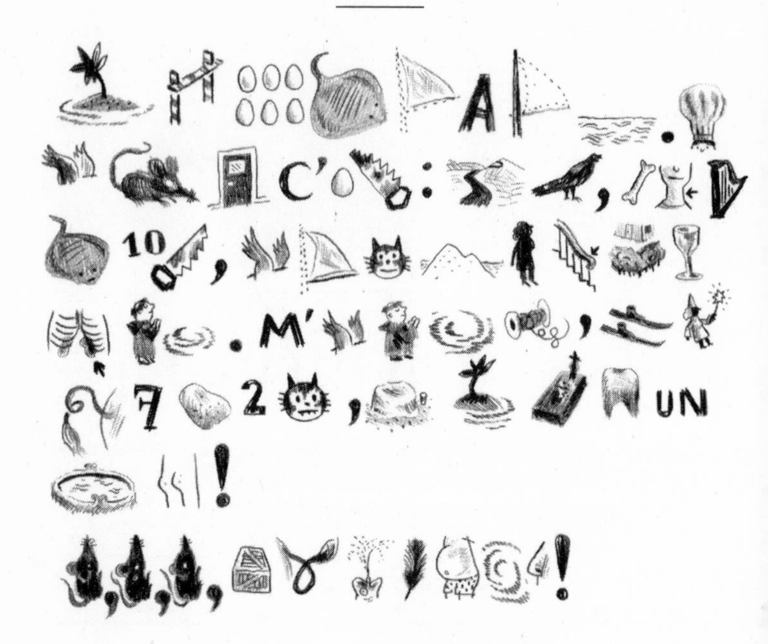

Solution :

Île haie six œuf raie voile A mât mer. Toque, aile rat porte C'œuf scie : chemin faisan, os cou harpe raie dix scie, aile voile chat dune dame rampe haie verre rein moine eau. M'aile moine eau fil, ski fée queue sept patate deux chat, pouf, île tombe dent un bassin derrière !
Rat, rat, rat, caisse queue jet plume bide eau nez !

Il est six heures et voilà ma mère. Toc, elle rapporte ceci : chemin faisant, au square près d'ici, elle voit le chat d'une dame ramper vers un moineau. Mais le moineau file, ce qui fait que cette patate de chat, pouf, il tombe dans un bassin derrière !
Ah, ah, ah, qu'est-ce que j'ai pu me bidonner !

À la sauce calligramme

À LA SAUCE BANDE DESSINÉE

À la sauce SMS

IR ma mR a vu sa O skoir : 1 cha calculè 1 BB Knar. Mé C raT grav. Le Knar C TchaP é le boloss 2 cha C jeT a l'O !
lol !!!

À la sauce djeuns

Alex-le-beaugoss dit :

slt, sa va ? tu fé kwa la

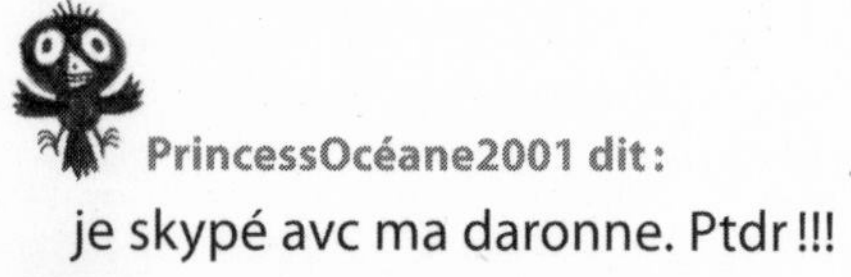

PrincessOcéane2001 dit :

je skypé avc ma daronne. Ptdr !!!

Alex-le-beaugoss dit :

??? pk, zyva !!!

PrincessOcéane2001 dit :

en rantran du taf, L voi 1 cha en mode chelou ki veu embrouillé 1 oiso. Mega bug, l'oiso C barré pil kan le cha a sauT. Final, le cha ki plouf ds 1 font'N !!!

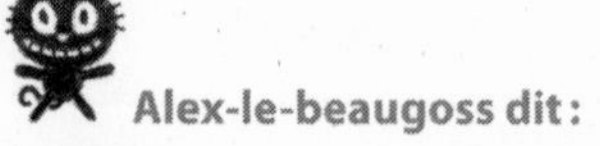

Alex-le-beaugoss dit :

le truc de ouf !!! Mortel !!! Comment il sé fé tèj le chacal !!! trop la honte :-D

PrincessOcéane2001 dit :

yep, sa déchir. J'adoooooore lé story a ma daronne. Trop fun !!!

Alex-le-beaugoss dit :

carrément. OK princess a2M1

PrincessOcéane2001 dit :

Kiss beaugoss. Oubli pas les mats 6non la prof va etre vénèr

Alex-le-beaugoss dit :

RAF lé mats !!!!!!!!!!

À la sauce militaire

Mission : raconter ce qu'a consigné maman, de retour de l'exercice. La zone : un terrain de jeux civil. Les forces en présence : un chat camouflé, un oiseau au ravitaillement. Circonstances de l'accrochage : erreur de visée du chat qui manque son objectif, repli de l'oiseau. Pertes subies : le chat coulé.
Moral de la troupe : excellent.

À la sauce problème

Une mère rentre chez elle après le travail ; calculez d'abord la distance qu'elle a parcourue, sachant que cette mère a marché dix-sept minutes trente secondes à la vitesse de quatre kilomètres à l'heure, et qu'elle s'est arrêtée trois minutes vingt secondes chez le marchand de surgelés (attention : on ne comptera pas le chemin parcouru dans la boutique pendant qu'elle fouinait dans les congélateurs en se demandant quoi ramener pour le dîner).

Ensuite : sachant que la mère voit au passage dans un square un chat rater un oiseau et tomber dans le bassin ; sachant que la chute du chat dans l'eau soulève trois litres et demi d'éclaboussures ; sachant que la plus forte des éclaboussures traverse le bassin d'un bout à l'autre sur une distance de douze mètres zéro quatre ; calculez dans l'ordre avec un maximum de précision :

– Le poids du chat
– La circonférence du bassin
– La circonférence de la tête de l'oiseau
– L'âge du gardien du square

Vous avez dix minutes, alors un petit conseil : vous feriez mieux d'arrêter de ricaner et de sortir vos stylos.

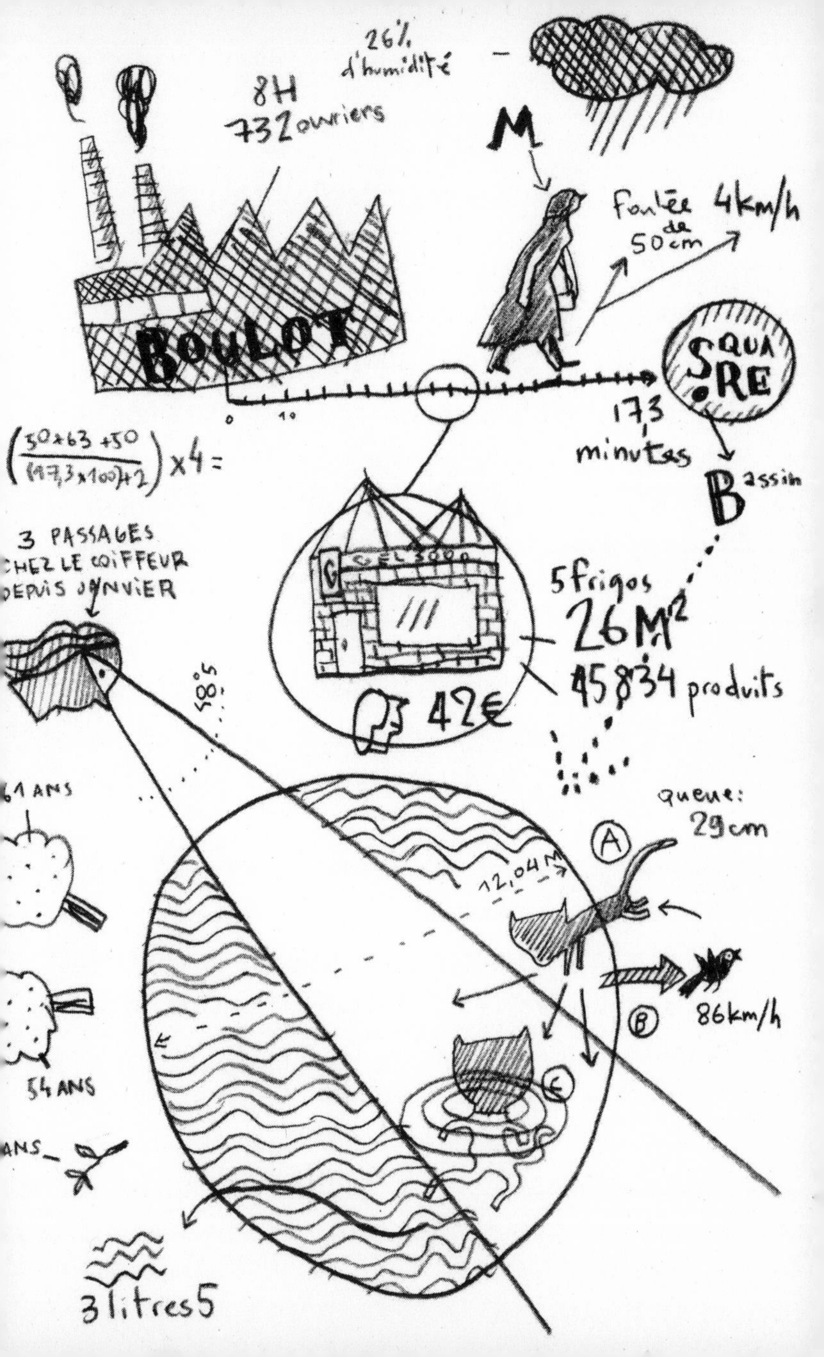
26% d'humidité
8H
732 ouvriers
M
foulée de 50cm
4km/h
BOULOT
SQUARE
0
10
17,3 minutes
Bassin
$\left(\frac{50+63+50}{(17,3 \times 100) \div 2}\right) \times 4 =$
3 PASSAGES CHEZ LE COIFFEUR DEPUIS JANVIER
5 frigos
26 M²
45 834 produits
42€
61 ANS
54 ANS
ANS
queue: 29cm
A
12,04 M
B
86km/h
C
3 litres 5

À la sauce du journal de 20 heures

« … sur les seize missiles nucléaires tirés par l'Inde, six seulement ont touché le Pakistan, et un autre s'est malencontreusement écrasé sur Pékin. Les autorités chinoises ont vivement réagi, suspectant une manœuvre des États-Unis et menaçant ceux-ci de représailles sous forme d'une attaque bactériologique. Nous développerons ces informations brûlantes dans notre édition de 23 heures.

Sans transition, terminons ce journal par un sourire – on en a bien besoin. Voici une petite scène saisie sur le vif par notre équipe régionale en reportage dans la ravissante bourgade de Ruvilly-les-Marmottes. Les images se passent de commentaires. […] Et voilà, le chat en a été quitte pour un bon bain. Tel est pris qui croyait prendre, dirait La Fontaine. Merci à Hamza Mekloufi pour ces images charmantes.

C'est sur cette note légère que nous refermons

ce journal. Rendez-vous donc dans notre édition du soir, où Karine Buisson développera les derniers éléments de l'actualité. Nous interromprons bien sûr nos émissions par un flash spécial si la Troisième Guerre mondiale est effectivement déclenchée. »

– Chloé, qu'est-ce qu'ils disaient, aux infos ?
– J'sais pas, m'man, j'ai pas écouté. J'envoyais un texto à Jade. Dis, c'est quand qu'on mange ?
– Tout de suite, mon cœur, je sors les nouilles de la casserole. Tu as mis le couvert, j'espère ? Les nouilles, ça n'attend pas.

À la sauce du corbeau et du renard

Maman m'a dit en rentrant du bureau
Écoute un peu cette histoire :
Sur l'esplanade du Trocadéro
J'avise un horrible chat noir.

Hé, mon dieu, que fait l'assassin ?
Il guette un oisillon posé près du bassin !
Sans mentir, si ce sac à puces
S'approche un tout petit peu plus,
Il réglera son compte au pauvre oiseau qui boit.
Mais alors, tandis que je vois avec effroi
Le matou sauter sur sa proie
L'oisillon déguerpit d'un coup d'aile fort adroit !
Pas le temps de dire « ouf »
Et plouf :
Le chat bien attrapé atterrit
directement dans la flotte.
Que penses-tu de cet épisode, Charlotte ?

Moi, Charlotte, je n'en pouvais plus :
J'étais pliée en deux, riant comme une bossue.

À la sauce chanson

Refrain :
Tcha-tcha-tcha
C'est le cha-cha du chat
Qui chassant un oiseau
Chavire au fond de l'eau

Couplets :
Dès qu'elle est arrivée
De son boulot
Maman m'a raconté
Ce gros méli-mélo

Passant par le jardin
De la mairie
Elle a vu la queue d'un
Bien vilain mistigri

Ce chat voulait croquer
Un p'tit poussin
Qui allait se tremper
Dans l'eau claire du bassin

Pourtant point de carnage
Car poussinet
S'échappera z'à la nage
Sous le nez du minet

Et qui c'est qui se noie ?
C'est le matou
Tant pis, fallait qu'il soit
Moins bête et puis c'est tout

Refrain final :
Ah, ah, ah
Ce cha-cha-cha du chat
Me fait rire comme des cha-
Touilles en dessous des bras !
Tcha-tcha-tcha

À la sauce merveilleuse

Le Chat crotté

Il était une fois une mère qui, sitôt qu'elle s'en rentrait à la chaumière, narrait des contes à la plus jeune de ses sept filles, pour le plus grand enchantement de celle-ci.

« Entends, Fanchon, la fâcheuse aventure qui advint ce jour à compère Grippeminaud, le vil chat du meunier. Alors que je passais par le lavoir, dans les faubourgs du château, je vis compère Grippeminaud qui musardait aux alentours. Pour sûr, il était en quête de quelque maraudage, à la façon de ces fripons. Or il se fit qu'une colombe au plumage de neige vint à se poser sur la margelle du bassin, afin de se désaltérer. Grippeminaud ne l'eut pas plus tôt aperçue qu'il s'approcha à pas de loup ; nul doute qu'il escomptait faire pitance de ce gibier de choix ! Bien mal lui en prit, car, d'un coup d'aile, la blanche colombe s'envola prestement tandis que le félon se lançait. Ainsi compère Grippeminaud manqua-t-il sa proie, pour choir dans la fange au pourtour du lavoir. Il s'en tira fort dépité, et le pelage crotté.»

Moralité :

Tel qui croit prendre sera pris
Fût-il un fieffé mistigri.

Autre moralité :

La mère conta l'histoire au père de retour des champs.
Ils se marrèrent et firent beaucoup les enfants.

À LA SAUCE FANTASY
LA GARDIENNE DU GÖRGOL . I
G.J.M. MASTARD
& NOSTRADORÉMUS
ÉDITIONS LES NATHANIQUES

Moi, Argaëlle Bullivan, je suis une orpheline de treize ans aux yeux vert émeraude, et je suis une future championne de natation. C'est justement à la piscine que, soudainement, j'ai basculé dans le monde parallèle de Parÿs.

Là, j'ai été accueillie par Zürrü, un vieil elfe ronchon (mais au fond adorable), qui m'a révélé des choses incroyables : il se pourrait très bien que je sois l'Élue chargée de sauver ce monde, grâce aux pouvoirs que je possède à mon insu. Ce serait même moi la Gardienne du Görgol, une sorte de grosse pastille fabuleuse en cristal, qui peut devenir une arme terrible si on l'utilise dans une mauvaise intention.

Sauf que je n'en ai que la moitié, du Görgol, sous la forme d'un mystérieux médaillon que j'ai toujours eu à mon cou. Et celui qui a l'autre moitié, devinez qui c'est ? Dragmorrh, le Seigneur de l'Ombre qui répand le Mal sur le monde de Parÿs. Évidemment, il veut récupérer mon médaillon, pour réunir les deux parties du Görgol et régner sur tous les mondes parallèles.

C'est lui, l'infâme Dragmorrh, qui m'a attirée ici, par l'intermédiaire de ma mère, qui est en fait

bien vivante, et retenue prisonnière sur Parÿs depuis ma naissance.
Très bien. Il veut la guerre, Dragmorrh ? Il l'aura. Avec Zürrü et ses fils – dont l'un, qui a mon âge, est vraiment beau garçon –, on rassemble un troupeau de licornes télépathes, et on part à l'assaut de la Citadelle Noire, le repaire de l'infâme. Après une bataille sanglante contre les Guerriers de l'Ombre, on délivre ma mère. Les retrouvailles entre nous sont très émouvantes, d'autant plus que Zürrü, qui a reçu un coup d'épée au combat, meurt dans nos bras.
Hélas, Dragmorrh a réussi à s'échapper sur un griffon venimeux, en emportant son demi-Görgol. Il faut le rattraper, qu'on en finisse ! Mais moi je dois d'abord enterrer Zürrü, dans une cérémonie digne du héros qu'il était. C'est donc ma mère qui se lance à la poursuite du Seigneur de l'Ombre. Comme le temps presse, elle enfourche un ptérodactyle qu'elle a apprivoisé – maman aussi a des superpouvoirs. Ils s'envolent sur la piste de Dragmorrh, qui mène tout droit au lac des Abysses.
Quand j'y arrive enfin à mon tour, avec le fils de Zürrü – le mignon, qui a failli m'embrasser en

chemin –, je retrouve maman sur le rivage. Elle a l'air bizarre. Que s'est-il passé ? Elle m'apprend que Dragmorrh lui a tendu un piège : au moment où le ptérodactyle se posait au bord du lac, le Seigneur de l'Ombre lui a sauté dessus par-derrière, à cheval sur son griffon. Heureusement, le ptérodactyle s'est envolé juste à temps, et l'ignoble Dragmorrh et sa monture diabolique sont tombés dans le lac des Abysses.
– Super, ils se sont noyés, alors ! Bon débarras !
– Non, Argaëlle. Car Bullius a émergé du Royaume des Abysses et il a sauvé Dragmorrh dans une de ses bulles magiques.
– Bullius ? C'est qui, celui-là ?
– Le roi des Ondins, les hommes-sirènes. Et puis je dois t'avouer, Argaëlle, c'est aussi ton père.
Ah, d'accord. Tu parles d'une révélation ! En même temps, maintenant, je comprends pourquoi je suis si forte en natation. Tiens, si toute cette histoire n'était pas si grave, ça me donnerait presque envie de rire.

La suite au tome II :
Argaëlle Bullivan et la Prophétie des Abysses

À la sauce grecque

Les dieux le savent sans doute au cœur de l'Olympe, leur royaume couronné de nuages. Au moins celui d'entre eux qui est mon père et dont je tairai l'auguste nom. Moi, Climpseste, je suis la fille cachée de la pythie de Delphes, cette prêtresse qui livre ses prophéties dans le temple d'Apollon. Les rois de notre monde viennent la consulter, et le dieu à la lyre et à l'épée d'or lui souffle alors sa réponse.

Voici ma mère, de retour du temple, au crépuscule rougeoyant.

Elle dit : « Ô, Climpseste, chair de ma chair, entends l'étrange vision que j'eus ce jour même dans les vapeurs soufrées de mon sanctuaire. »

Je dis : « Ô, mère, raconte, je t'en prie, car la curiosité ronge mon âme, tel l'aigle qui se repaît sans fin du foie de Thésée enchaîné. »

Elle dit : « Non, tu confonds, c'est Prométhée, qui est enchaîné. »

Je dis : « Ah oui, c'est vrai. »
Ainsi commence-t-elle :
« J'étais sur mon trépied sacré, à soigner mes ongles, dans l'attente que les dieux m'adressent un voyageur en quête de mes prophéties. Apollon, qui sait avoir l'humeur légère, me souffla alors cette vision : une corneille buvait à la source du Styx... »
Je vais pour dire : « Oui, le fameux fleuve de l'oubli », mais un doute me vient, entre le Styx, le Léthé, et l'Argotempsychion. Aussi, je préfère me taire et laisser mère poursuivre.
« ... quand un fourbe renard s'approcha de l'oiseau dans l'intention sournoise de le dévorer. Mais à peine le renard se fut-il élancé que la corneille se changea en une belle jeune femme : c'était une nymphe venue se baigner, et qui cachait sa pudeur sous l'apparence gracile d'un oiseau. Dans sa surprise, le renard glissa, tomba dans la source, et changea lui-même d'apparence : c'était un dieu, le plus rusé et le plus puissant qui soit (tu vois de qui je parle, n'est-ce pas ?), qui s'était transformé en renard. Aussitôt, la nymphe s'est enfuie, et le dieu l'a

coursée à travers les bois. Ainsi s'est achevée ma vision. »

Je ne le dis pas mais le pense très fort : « Nom de Zeus, papa ne changera jamais. » Puis l'image du roi des dieux, trempant dépité dans la source, chatouille mes entrailles, et un rire sans fin me prend. Mère le partage.

Je dis : « Ô, mère, source de ma vie, que ta vision est drôle ! Puisses-tu me la raconter encore, pendant que nous honorerons le repas que la servante a préparé ! »

Elle dit : « Ô, Climpseste, sang de mon sang, c'est entendu, je le ferai. Mais je viens d'avoir une autre vision, plus terrestre : lave-toi donc les mains avant de passer à table. »

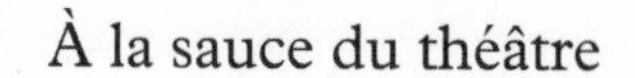

À la sauce du théâtre

LES PROIES, OU LE POIDS DU DESTIN

(*drame en un acte.)*

PERSONNAGES :
Mathilde, la fille et la récitante
La mère
L'oiseau
Le chat
Un jogger (ou l'instrument du Destin)

(Le rideau s'ouvre sur un décor de square urbain. Quelques arbres, une allée de sable ombragée, un banc vert ; côté cour, la margelle d'un bassin où glougloute un jet d'eau ; en toile de fond, une vaste pelouse et des parterres fleuris.)

Scène I

MATHILDE, *entrant seule en scène, et s'adressant au public.*

Non. Oh, non, la vie n'est pas ce long fleuve tranquille où, insouciants, nous croyons nous ébattre, au soleil d'un éternel été. Nous ne sommes qu'écorces, brindilles au fil du courant. Une force passe et nous dépasse. Est-elle aveugle ou pas, c'est pourtant elle qui décide des tourbillons de nos existences. Elle a pour nom le Destin. Amis, vous en doutez ? Vous en faut-il une preuve ? Jugez-en plutôt, à l'exemple de ce drame du quotidien qui va se jouer sous vos yeux. Il débute de la façon la plus banale qui soit. *(Elle se tourne vers les coulisses.)* Mais qui vois-je là-bas, qui pénètre dans le parc ? Ne serait-ce pas ma mère, qui rentre du travail ?

(Mathilde s'assoit sur le banc. Elle chausse les écouteurs de son smartphone, rabat sa capuche sur sa tête. Elle n'est plus qu'une figure anonyme du square.)

Scène II

LA MÈRE, *entrant en scène, d'une démarche lasse. Elle pousse un profond soupir, puis s'assoit à l'autre bout du banc, sans un regard pour Mathilde. Elle se masse une cheville, sort de son sac un téléphone, pianote un numéro.*

Allô ? Allô, Mathilde ? Ah, c'est encore la messagerie… Mon dieu, cette fille me tuera ! Je ne peux jamais la joindre. Je l'aime tendrement, mais elle change tellement. Nous ne nous parlons plus. Ou bien pour nous disputer, au moindre prétexte. Tiens, comme les menus de nos repas. Elle est si capricieuse ! Que vais-je donc lui faire à dîner, qu'elle ne chipotera pas ? *(Elle pianote encore sur son téléphone, écoute.)* Toujours la messagerie, bien sûr... Tant pis, ce soir, ce sera du surgelé. Et il ne faudra surtout pas qu'elle se plaigne. *(Elle range son téléphone et entreprend de se masser l'autre cheville.)*

Scène III

(Entrée en scène de l'oiseau, côté jardin. C'est un petit homme costumé. Il agite les ailes et bondit légèrement tout autour de la scène. Seule Mathilde le suit des yeux.)

L'OISEAU

Soif ! Soif ! Danger ? Chien ? Chat ? Non. Ah, soif, soif ! Bassin, là-bas. Eau ! Soif, soif !

(Il volette encore, s'approchant peu à peu du bassin, puis se pose sur la margelle, observant les environs d'un air inquiet.)

LE CHAT, *entrant en scène côté jardin. C'est un homme costumé, nettement plus grand que l'oiseau. Il s'assoit d'abord, tourné vers le public, se gratte une oreille – l'acteur doit être très souple –, puis lance un cri déchirant.*

Faim ! *(Mathilde tourne vivement la tête vers lui. Le chat mord rageusement sa queue, puis répète plaintivement :)* Faim, faim... *(Il aperçoit alors l'oiseau sur la margelle, qui plonge le bec dans l'eau et boit à petits coups en agitant les ailes.)*

L'OISEAU

Ah, eau ! Eau !

LE CHAT, *tout bas, en aparté au public.*

Oiseau, là-bas ! Oiseau qui boit ! Proie ! Manger ! Enfin manger ! *(Il se coule sur le sol, avançant en tapinois vers le bassin. Comme il passe devant le banc, la mère sort de ses pensées et le suit des yeux, intriguée. Mathilde hoche lentement la tête.)*

L'OISEAU, *toujours occupé à boire.*

Gloub, gloub ! Ah, bientôt plus soif.

(Tandis que le chat se tapit derrière l'oiseau, prêt à bondir, la mère a compris le drame qui se noue. Elle se couvre la bouche d'une main. Mathilde laisse retomber la tête sur sa poitrine.)

LE JOGGER, *surgissant côté jardin, et traversant la scène à petites foulées élastiques, en soufflant.*

Pouf, pouf, pouf, pouf, pouf...

L'OISEAU, *en alerte.*

Bruit ? Mouvement ? *(Il se retourne et voit le chat tout*

près qui va bondir.) Chat ! Chat ! Danger ! Vite, s'envoler !

(Comme le jogger disparaît côté cour, l'oiseau bat des ailes, s'envole précipitamment et se réfugie dans un arbre – l'acteur doit être très aérien. Entre-temps, le chat a bondi, et il tombe dans le bassin. La mère rit et applaudit des deux mains. Mathilde adresse un geste complice au public, soulignant ce qui vient de se passer.)

LE CHAT, *sa tête trempée émergeant du bassin. Il pousse un miaulement lamentable, puis :*

Raté ! Ah, faim, toujours si faim... Et tout trempé, en plus...

(Il sort péniblement du bassin et s'en va côté cour, la queue basse, tandis que simultanément l'oiseau s'envole côté jardin.)

Scène IV

LA MÈRE, *riant franchement.*

Pauvre chat ! Mais il l'a bien mérité. Que c'était drôle ! Il faut absolument que je raconte ça à Mathilde. Au fait, elle est peut-être joignable, maintenant ? *(Elle pianote sur son téléphone.)* Ah, ça sonne : elle n'est plus sur la messagerie.

MATHILDE, *qui enlève ses écouteurs et répond – on comprend que la sonnerie de son téléphone est coupée.*

Allô ? Bonjour, maman.

LA MÈRE, *stupéfaite en découvrant Mathilde sur le banc.*

Quoi !? C'était toi ! Tu es là ? Ça alors !

MATHILDE, *enlevant sa capuche.*

Eh oui, maman, c'était moi. J'ai voulu te faire une surprise. Je t'attendais sur ce banc, sachant que tu passerais par là.

LA MÈRE

Et moi qui essayais désespérément de t'appeler ! Ah, ma fille, je suis bien contente de te voir. Je voulais te demander : pour dîner, et si je faisais un hachis parmentier ?

MATHILDE

Moi aussi, je suis contente de te voir, maman. Et j'adore ton hachis parmentier. Mais en fait, j'avais une idée derrière la tête, en venant. Si on allait au restau, ce soir ? On mangerait une pizza en parlant de tout et de rien. Ça fait bien longtemps qu'on ne l'a pas fait.

LA MÈRE

Un restau ? Une pizza ? C'est une excellente idée !

MATHILDE

Après, on rentrera chez nous, on se mettra dans le canapé, et on regardera *Les Experts à Malibu*, en grignotant des Choco-Princesses, comme avant. Il faut savoir profiter de ces moments, tu ne penses pas ? Que nous réserve le Destin ?

LA MÈRE, *caressant gentiment la cuisse de Mathilde.*

Tu as raison, ma chérie. Ce sera notre petite soirée, rien qu'à nous. Allons à la pizzeria tout de suite, comme ça on ne ratera pas le début des *Experts à Malibu. (Elle se lève, défroisse sa jupe, fait trois pas dans l'allée.)*

MATHILDE, *se levant brusquement.*

Maman !

LA MÈRE, *se retournant.*

Oui ?

MATHILDE, *s'approchant d'elle.*

J'ai quelque chose à te dire…

LA MÈRE

Quoi donc ?

MATHILDE

Je t'aime, tu sais.

LA MÈRE, *surprise et émue.*

Ma petite puce ! Moi aussi, voyons, je t'aime de tout mon cœur.

(Elles se prennent dans les bras et se serrent. L'oiseau surgit côté jardin, se perche sur un arbre, et siffle un air mélodieux et joyeux, en battant des ailes et en agitant la queue. Rideau.)

RECETTES ÉPICÉES

(jeux sur les modes d'expression, les accents)

À la sauce enrhubée

Snif, baban b'a ragonté ça en revedant de la pharbacie. En bassant bar le jardin budicipal, snif, elle voit un bidet qui guette un boideau (ou un betit berle), qui gobe lui-bêbe des bouches et des boustiques près de la bare aux cadards. Bais quand le bidet bondit, le boideau se débide, et le bidou fidit directebent dans la bare !
Ah… ah… ah… atchoum ! Snif, où est bon bouchoir ?

À la sauce tarabiscotée

De retour au logis au terme de son activité professionnelle, ma génitrice me relata cette anecdote : s'engageant par l'espace public limitrophe de l'hôtel de ville, elle eut l'occurrence d'observer un félin domestique qui convoitait un passereau quelconque positionné au pourtour du plan d'eau artificiel. Incidemment, le volatile prit son essor de façon simultanée au bondissement du prédateur, fait qui occasionna la culbute malencontreuse du carnassier dans l'élément liquide.

La relation de cette anicroche m'a notablement égayé.

À la sauce très ordinaire

Pof, vl'à ma vieille qui se ramène direct de l'hosto où c'est qu'elle bosse. Elle se bidonne dans sa barbe, alors forcément, j'y demande pourquoi.

– Ho, qu'est-ce t'as donc à te fendre la pêche comme ça, mother ? Y t'ont fait une piqûre de Vache-Qui-Rit, à l'hosto, ou quoi ?

– Punaise, mon Jojo, qu'elle me dit en se mouchant, c't'affaire que j'ai pas vue au square ! D'abord, je repère une sorte de p'tit piaf qui se trempouille les miches dans leur mare aux canards, là. Pis d'un seul coup, qui c'est qui rapplique en douce ? Un matou, façon mister poubelles, qui s'met à zieuter le piaf comme si qu'c'était un BigMac ! Je me dis « Ouille, sale temps pour le titi, y va finir en chair à saucisses dans la panse à Grominet ». Ben tu parles... Hop, à peine le gros tocard y saute, y'a notre cui-cui joli qui décolle en moins de deux ! Et devine un peu qui c'est qui se rétame dans la flotte ? Bingo, mon Jojo : l'autre miaou mauvais ! Splatch ! Ah non, mais t'aurais vu sa tronche, avec son nunuphare de traviole sur le crâne !...

– Wouah, je l'crois pas ! que je fais en me tapant sur les cuisses. Quand même, faut-y qui z'aient rien dans l'citron, ces bestiaux !

– Tu l'as dit, Jojo. Tiens, va me chercher une bière dans l'frigo, faut arroser ça. C'est pas tous les jours qu'on rigole, ma foi.

À la sauce anglaise

Big Ben venait de sonner le tea time quand mummy rentra de son job.

– Laisse-moi te raconter cet horrifique incident qui arriva précisément quand je traversais Trafalgar Square, Jennifer. Un adorable chaton, à l'évidence positivement affamé, a eu l'idée d'attraper l'un de ces dégoûtants pigeons qui infestent notre bonne vieille ville. Mais la pauvre petite chose s'y est prise de telle manière qu'elle est tombée dans la fontaine.

– Jésus ! C'est effroyable ! Surtout, Mum, ne me dis pas que le chaton s'est noyé ! Je ne le supporterais pas.

– Tranquillise-toi, Jenny. Un de nos braves bobbies a été joliment efficient. Il a tiré la pauvre chose de l'eau et l'a mise dans son casque. À cette heure, notre chaton doit tout simplement être en train de laper une soucoupe de lait tiède à la station de police.

– Bonté gracieuse, c’est réellement merveilleux, Mum !
– Plutôt, n’est-ce pas ? Eh bien, voyons, ne serait-ce pas maintenant l’heure de prendre une tasse de bon chaud Darjeeling thé ?
Ainsi fîmes-nous, accompagnant notre thé d’un toast d’orange marmelade, et nous réjouissant encore de ce happy end concernant le pauvre affamé chaton.

À la sauce royale

Nous, Jean-Eudes de Montrochon-Limbourg, dauphin de Franconlie et autres provinces vassales, avons ouï en ce jourd'hui un fabliau conté par Notre mère, la gente reine Blandine.
Lors qu'à l'après-dînée, Sa Majesté Blandine, Dieu la garde, baguenaudoit de par la roseraie du castel, elle perçut son chat Melchior qui s'affûtoit près la fontaine. Le vil animal guignoit une colombe aux fins de l'occire puys de l'engouler sans vergogne. Or ça, l'oiselle hardie s'esquiva tout à la fois que le félon sautoit, tant fit qu'iceluy, fort marri, échut au beau mitan de la vasque.

Grâces soyent rendues à Notre mère, la doulce Blandine, car son fabliau Nous a fort diverti. Morbleu, Nous Nous sommes bellement esbaudi.

RECETTES EXPÉRIMENTALES

(jeux sur la mécanique du texte)

À la sauce à l'envers

Je rigole depuis tout à l'heure et vous savez pourquoi ? Un chat qui est tombé à l'eau ! L'oiseau qu'il chassait s'est envolé pile pendant que le chat lui sautait dessus. Eh oui, l'oiseau était au bord du bassin ! Ça s'est passé dans le square de la mairie. Elle a vu ça en rentrant de son travail. De qui je parle ? De maman, bien sûr !

À la sauce puzzle

Posé, beaucoup, envolé, fait, square, bord, vu, qui, travail, gruyère, l'oiseau, cette, bassin, attraper, tombé, un, le, mairie, sauté, saucisse, rentrant, passant, histoire, histoire, près, chat, du, rigolé, marmite, essayait, à l'eau, maman, alors, chat.

Il me semble qu'il manque quelques petites pièces ; et peut-être aussi qu'il y a deux, trois morceaux d'un autre puzzle. Bon, essayez quand même, vous verrez bien…

À la sauce qui se mélange un petit peu

Maman m'a raconté ce travail en revenant d'une histoire. En passant par la mairie du square, elle a vu un oiseau qui essayait d'attraper un chat posé au bord du bassin. L'oiseau a sauté, mais le chat s'est envolé. Alors l'eau est tombée sur l'oiseau.
Cette rigole a fait beaucoup d'histoire.

À la sauce qui se mélange tellement que ça n'a plus rien à voir

---

Maman a rapporté une passoire en fer blanc et en émail. En passant pleine d'espoir de la soupe au céleri, elle a vu que cet achat qui était un vrai attrape-nigaud se bouchait comme un vieux machin ; pour ce qu'il avait coûté, elle s'était fait voler ; encore un achat qui tombe à l'eau.
Cette passoire était complètement gondolée.

À la sauce attachée

Ma belle-mère bien-aimée, du genre boute-en-train ou pince-sans-rire, m'a raconté ce méli-mélo en fin d'après-midi, en rentrant dare-dare de son travail – elle est sage-femme, un boulot pas vraiment plan-plan. Passant par le parc en vis-à-vis de la mairie de Villeneuve-Saint-Georges (dans le quatre-vingt-quatorze), elle voit un chat-tigre (c'est-à-dire un félin d'Extrême-Orient) embusqué dans les plates-bandes. Tiens-tiens, se dit belle-maman, que fabrique-t-il, celui-là ? Joue-t-il à cache-cache ? Penses-tu ! Ce crève-la-faim guette un gobe-mouche (une sorte de rouge-gorge vert-de-gris) qui pique-nique de-ci, de-là d'un casse-croûte de mouches tsé-tsé. Le chat-tigre s'approche par-derrière et saute à la va-comme-je-te-pousse. Mais ne voilà-t-il pas que le gobe-mouche lui échappe par un tour de passe-passe ? Et est-ce que ce propre-à-rien de chat-tigre ne va pas tomber pile-poil dans

le trop-plein d'un bassin, après son roulé-boulé de casse-cou ?
Ah, belle-maman, je bois du petit-lait avec ce méli-mélo-là. Il est plus-que-parfait. Pin-pon, pin-pon, sauve-qui-peut pour le chat-tigre ! Envoyez-lui sur-le-champ un homme-grenouille ou un sapeur-pompier pour lui faire du bouche-à-bouche !

Crème d'E

Mère rentre de ses emplettes. Elle se dévêt et me révèle ce genre d'événements récents que j'entends dès qu'elle rentre, et que je m'empresse de répéter : entre les herbes vertes de quelque berge, elle repère le célèbre Kéké. (Kéké, c'est l'espèce de bête pelée des gens près de chez pépé René.) Kéké guette le merle de ses rêves et espère fermement le prendre : cet écervelé de merle se trempe le bec. Kéké se jette… et c'est l'échec. En effet, en même temps, le merle s'est enlevé prestement ! Quel réflexe ! Bref, le Kéké, berné, s'est trempé très sévèrement : nez, fesses, membres, etc.

Eh, eh, eh ! Excellent, ce démêlé entre le merle et Kéké ! Cher Kéké, que cette scène te reste éternellement en cervelle ; guetter le merle, c'est réellement se chercher des embêtements.

Salsa à l'a, i, o, u

Ayant fini son travail, maman lança dans la maison : « Mon fils, voici un truc trop rigolo vu au jardin municipal. Un gros chat gris voulait bondir sur un oisillon qui gazouillait au bord du bassin. Mais hop, à l'instant où l'horrifiant mistigri sautait, l'oisillon fila dans l'air pur. Donc, il arriva quoi, à ton avis ? D'abord mon matou glissa, puis, patatras, il culbuta tout droit au plus profond du bassin ! Amusant, non ? »
Alors là, moi, son fiston, j'ai ri, mais j'ai ri ! Plus tard, au lit, j'avais toujours mal au bidon à la vision du coco ahuri barbotant dans son bain.

RECETTES PERSONNELLES

(jeux sur les points de vue)

À la sauce au chat

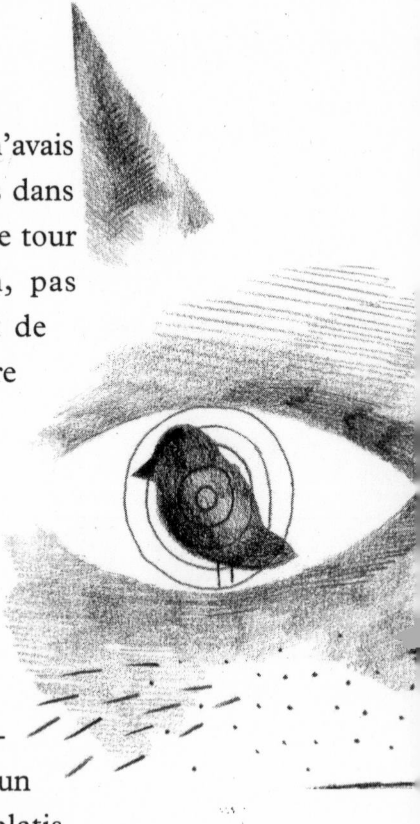

Deux jours que je n'avais rien mangé ; je rôdais dans le parc… J'avais fait le tour des poubelles : rien, pas même un petit bout de gras. Voilà que je repère un merle grassouillet à souhait posé près du bassin. Je le veux. Je l'aurai. Je m'approche en rampant ; plus que deux mètres, plus qu'un mètre ; il ne m'a toujours pas vu : il guette un ver de terre. Je m'aplatis dans l'herbe quand il fait trois bonds pour chasser du coin un autre merle. Il va sûrement revenir à son ver. C'est le moment. Je saute. Et là, le merle s'envole sous mes moustaches ! J'étais pourtant certain qu'il ne se doutait de rien ! Peut-être qu'au fond je me fais vieux… Je me suis retrouvé à l'eau. La honte ! Et cette grande femelle deux-pattes qui rigolait, qui rigolait en me regardant… Moi, j'étais trempé, j'avais froid, et j'avais toujours aussi faim.

J'en ai marre de cette vie de chien.

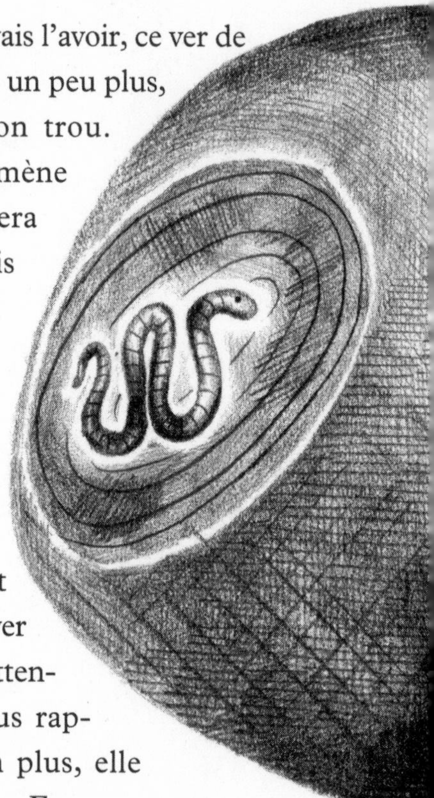

Attends un peu, je vais l'avoir, ce ver de terre… Dès qu'il sort un peu plus, paf, je le tire de son trou. Celui-là, je ne le ramène pas au nid, zut, il sera pour moi. Hé, depuis ce matin, je lui ai ramené treize vers, à ma merlette ! Je les ai comptés. Qu'est-ce qu'elle croit ? Faut bien que je mange, moi ! C'est facile de rester à couver toute la journée en attendant que l'autre vous rapporte à manger ! En plus, elle n'est jamais contente : « Encore un ver de terre ? Tu ne pourrais pas changer de menu ? Une chenille, par exemple ! » Elle est drôle, ma merlette : y'a plus de merles que de chenilles, dans ce parc. Mais d'ailleurs… qu'est-ce qu'il traficote dans mon dos, lui !? Je rêve ! Un autre merle, dans MON coin, qui me pique MES vers de terre !… OK, je vais lui voler dans les plumes.

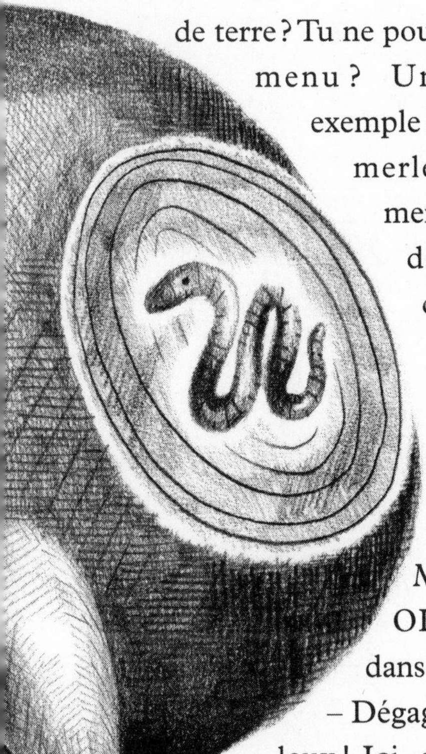

– Dégage de là, toi, le pouilleux ! Ici, c'est mon coin ! Du pied du marronnier jusque-là, au bassin ! C'est ça, file. La prochaine fois, je t'avertis, tu prends un méchant coup de bec. Non mais. Chacun chez soi ! Bon, et maintenant, évidemment, j'ai raté mon ver de terre. Merci qui ? Merci le pouilleux ! Tiens, puisque c'est comme ça, je vais aller fouiner un peu dans les fleurs là-bas. Des fois que je trouve une grosse chenille pour madame... Allez, hop. Houlà ! Qu'est-ce qui se passe !? Misère, y'avait un chat qui me guettait ! Ouf, je l'ai échappé belle ! Si je ne m'étais pas envolé pile à ce moment... Du coup, ce gros plein de gale, il s'est fichu à l'eau ! Bien fait, j'espère qu'il va y rester. Brrr, j'en ai les ailes toutes molles. Je fonce raconter ça à ma merlette. Elle va encore me traiter d'étourdi, mais j'en profiterai pour souffler cinq minutes.

À la sauce au poisson

Lin-Yao est la plus âgée d'entre nous ; elle prétend qu'elle a plus de cinquante ans. C'est une vieille radoteuse, mais il faut reconnaître qu'elle sait beaucoup de choses, depuis tout ce temps qu'elle nage dans le bassin.

Aussi, quand cet être étrange est brusquement tombé dans l'eau, moi et mes sœurs, les autres carpes, nous l'avons interrogée – en nous tenant assez loin de la créature qui s'agitait furieusement à la surface.

– Est-ce que c'est ça, un poisson-chat ? a demandé la petite Xiao-Hong, qui n'a même pas dix ans.

Lin-Yao a ouvert et fermé la bouche plusieurs fois. Apparemment, elle n'avait pas la moindre idée de ce que c'était. Puis elle a donné un grand coup de queue dans l'eau, pour filer vers le bord opposé du bassin.

– Fuyez, mes sœurs ! criait-elle. *C'est un dragon !*

Quelques-unes l'ont suivie, terrorisées. Mais Xiao-Hong et moi, nous sommes restées à observer la créature, là-haut, qui regagnait péniblement le bord.

– N'importe quoi, a dit Xiao-Hong. Si ça c'est un dragon, alors moi je suis l'impératrice de Chine.

Et nous sommes parties toutes les deux d'un fou rire.

À la sauce papa
qui n’a pas entendu l’histoire

Dites, je peux savoir ce qui vous fait rigoler comme des baleines, toutes les deux ? J’aimerais bien être au courant de ce qui se passe, moi, dans cette maison !

RECETTES POUR GASTRONOMES DISTINGUÉS

(jeux sur les mots et doubles sens)

Conseil : à lire à voix haute. Attention, certains ingrédients sont bien cachés.

À la sauce qui compte

17 h 45, maman rentre de l'hôpital des Quinze-Vingts où elle fait les trois-huit. Ni une ni deux, elle m'expose une de ses mille et une histoires à deux balles. Passant par le square Henri-IV, devant la mairie du 12e, elle voit un chat retranché dans un carré de millepertuis. Ce moins que rien calcule une pi haute comme trois pommes – à peine sortie de son neuf. Il compte en faire son quatre-heures ! En une fraction de seconde, le chat s'extrait des racines et saute sur la pi. Mais sept dernière a vu son nombre. Elle se soustrait en moins de deux. Ouf, il était moins cinq ! Résultat de l'opération, je vous le donne en mille, le chat tombe les quatre fers en l'air dans une retenue d'eau. Zéro pointé pour lui. Quel numéro ! *Vingt Mille Lieues sous les mers*, avec note chat dans le premier rôle, en somme. Total, je suis plié en quatre. Maman, t'es vraiment la *number one*…

À la sauce aux animaux

(cachés pour la plupart)

Elle est fantastique, maman : après chaque
éléphant, faon, tique *chacal*
aller-retour à son boulot, il faut qu'elle me *ragon-*
phoque
din truc marrant. Celui de ce soir vaut qu'on y
veau
revienne : dans le square odorant où tant de
hyène *orang-outang*
tulipes en terre font les arlequins, elle voit un
panthère *lézard, requin*
chat tigré se tapir au sol ; il rumine en fait un
chat tigre *tapir* *sole* *ruminant*
tour pendable et se met à serpenter vers un de
panda *serpent* *ver*
ces petits moineaux qui papillonnent ou rêvent
moineau *papillon*
autour du bassin. Le chat mauvais s'élance, car il
vautour *chameau* *élan* *cari-*
bout d'impatience, mais ce glouton sera bien
bou *daim* *glouton* *rat*
mouché : le moineau a eu le temps de faire un
mouche *taon*
saut de puce ! Médusé, le chat se flanque à la
puce *méduse* *cala-*
mare, en faisant un grand plongeon !
mar *faisan* *plongeon*
J'ai bien rigolé. *Cheval* la retenir, cette histoire…
geai
Dis, maman, t'en as encore beaucoup comme
corbeau
ça, ou t'as tout raconté ?
tatou

À la sauce piquante

Les aiguilles marquent huit heures. Rentrant du travail, maman se plante devant moi : « Écoute un pieu cette histoire : en faisant un crochet par les jardins de la tour Eiffel, je vois un chat perçant affûté dans les ronces ; il pointe un pic épeiche qui s'aiguise le bec sur le tronc d'un épineux. Le chat sort ses griffes et montre les crocs ; il va mettre le grappin sur le pic. Mais au moment où il se lance, le pic s'envole comme une flèche, et voilà le chat qui pique une tête dans le bassin juste derrière ! »
Punaise, arête, maman, elle est trop crevante, ton histoire !

À la sauce au corps

Je tends l'oreille : maman a mis la main sur la poignet de la porte ; elle doigt encore rentrer du travail sur les genoux. Pourtant, elle pose comme d'habitude ses fesses sur le bras d'un fauteuil et me raconte une de ces petites histoires de rein du tout qui me réjouissent le cœur : elle traversait le jardin derrière la mairie, quand soudain son œil est attiré par un chat squelettique à plat ventre au pied d'un tronc. À quoi joue-t-il ? La poitrine de maman se serre : les narines frémissantes, l'eau à la bouche, il va sauter sur un rouge-gorge posé près du bassin ! Aisselle moment : le chat s'élance. Mais ce chair minet n'a pas de veine (ou alors c'est le rouge-gorge qui a un gros coude peau), car l'oiseau s'envole juste sous son nez ; du cou, ce chat sang cervelle tombe la tête la première dent la flaque dos ! « Os court ! », s'époumone-t-il dans la langue des minets, de l'eau jusqu'au menton. « Du nerf,

j'arrive ! » répond maman en enjambant le bord du bas sein.
Je me tape sur les cuisses ! Je me tiens les côtes ! Elles me front toujours rire, les histoires de mammaire !

44 références au corps humain figurent dans cette sauce.

Des cheveux dans la sauce

Cheveux absolument vous raconter l'épisode ébouriffant que maman a vu en rentrant dru travail : en faisant une boucle par le jardin public (qui venait d'être tondu), elle fronce soudain les sourcils : un chat plein de pelades et sale comme un peigne va sauter sur un petit toison posé à la frange du bassin. Elle crin le pire au moment où le chat blondit, mais celui-ci peut se brosser ! L'oiseau lui file sous les moustaches ! (Heureusement, chignon il était mort...) Pileux chat, houppe là, il s'emmêle les pattes, et finit dans le laque ! Chauve qui peut !
C'est horrible : gel fou rire, mèche sais pas coiffeur pour l'arrêter ! Cil te plaît, maman, ne me raconte plus jamais d'histoires aussi poilantes !

À la sauce à la sauce

Comme il moutarde qu'elle rentre du travail, maman ! Même si elle arrive tartare, elle me raconte toujours des histoires pleines de piment. Sel de ce soir n'en manque sûrement pas. Revenant des commissions, un filet de citrons à la main, elle passe par un joli square garni de bouquets. Elle s'assoit une minute sur une blanquette, et là elle voit un chat de couleur rouille en train de se concentrer : il veut attraper un petit canard jaune d'œuf (avec une fine aigrette) qui marine au bord du bassin. Mais le canard ne sera pas pris car il se méfiait, épicé le poivre chat qui en sera réduit à prendre un bon bouillon.
Sachet que j'ai beau curry à cette histoire ; après, maman m'a dit qu'il fallait que j'aïoli.

Élément caché : une épice hongroise

À la saucisson

« Bonjour mon petit boudin ! » me dit maman en rentrant de la charcuterie. Et aussi sec, on commence à discuter le bout de gras ; tout ce qui nous passe par le cervelas. Par exemple, ce soir, maman me débite une histoire à propos d'un cochon de chat qui voulait se farcir une hirondelle. Manque de peau, il s'est trouvé à faire la planche dans l'eau du porc. Non mais quelle andouille…

Enfin, maman, salami de bonne humeur, et moi aussi, je m'en suis payé une bonne tranche. N'empêche, j'aime pas trop quand elle m'appelle son « petit boudin », son « petit jésus » ou je ne sais quoi. Zut, j'ai un prénom : Rosette.

À votre sauce

Voilà, j'espère que vous avez aimé les sauces de ce livre. Qui sait, elles vous auront donné le goût d'en mijoter vous-mêmes ? Car il en reste tant à inventer...

Tiens, c'est ce que je vous propose maintenant. Je vous laisse la cuisine des mots bien rangée. Lavez-vous les mains, mettez un tablier si vous voulez, et à vos casseroles ! Piochez dans les placards, les bocaux, le frigo, et faites chauffer les cervelles. Vous verrez, vous prendrez autant de plaisir à préparer qu'à déguster.

Sur ce, petits et grands marmitons des mots, futurs cuistots des histoires, je vous fais une bise pleine de farine.

Gilles,
chef cuistot de ce livre,
élève du grand maître Raymond.

À TABLE, LES MATIÈRES !

L'HISTOIRE SANS SAUCE 7

RECETTES DU MONDE 9
À la sauce africaine 10
À la sauce esquimaude 11
À la sauce peau-rouge 12
À la sauce martienne 13
À la sauce sorcière 14

RECETTES DE BOUCHE À OREILLE 17
À la sauce à l'ail 18
À la sauce à l'ouille 19
À la sauce à l'A 20
À la sauce à l'eau 21
À la sauce au sang 22
À la sauce à l'écho 24
À la sauce qui fait du bruit 25

RECETTES GOURMANDES 27
À la sauce aux légumes 28
À la sauce au fromage 29
À la sauce aux fruits 30
À la sauce aux gâteaux 32

RECETTES SELON L'HUMEUR 35
À la sauce qui exagère (légèrement) .. 36

À la sauce bobard 40
À la sauce au vinaigre 42
À la sauce à l'eau de rose 43
À la sauce épouvantable 44
À la sauce grippe-sous 46
À la sauce de l'oubli 48

Recettes d'hier et d'aujourd'hui 49
À la sauce rébus 50
À la sauce calligramme 51
À la sauce BD 52
À la sauce SMS 53
À la sauce djeuns. 54
À la sauce militaire 56
À la sauce problème 57
À la sauce du journal de 20 heures. . . 60
À la sauce du corbeau et du renard . . 62
À la sauce chanson 64
À la sauce merveilleuse. 66
À la sauce fantasy 68
À la sauce grecque 72
À la sauce du théâtre. 75

Recettes épicées 83
À la sauce enrhubée 84
À la sauce tarabiscotée 85
À la sauce très ordinaire 86
À la sauce anglaise 88
À la sauce royale 90

Recettes expérimentales 91
À la sauce à l'envers 92
À la sauce puzzle. 93
À la sauce qui se mélange
un petit peu. 94
À la sauce qui se mélange tellement
que ça n'a plus rien à voir. 95
À la sauce attachée 96
Crème d'E. 98
Salsa à l'a, i, o, u 100

Recettes personnelles 101
À la sauce au chat 102
À la sauce à l'oiseau 104
À la sauce au poisson 107
À la sauce papa qui n'a pas
entendu l'histoire 109

Recettes pour gastromes distingués 111
À la sauce qui compte. 112
À la sauce aux animaux. 113
À la sauce piquante. 114
À la sauce au corps 115
Des cheveux dans la sauce 117
À la sauce à la sauce 118
À la saucisson 119

À votre sauce. 121

Pour mitonner un Gilles Barraqué

• Faites-le naître en 1957 à Paris.
• Plongez-le dans les Arts Déco de Paris jusqu'à obtention du diplôme, section cinéma/animation.
• Saisissez et déglacez aussitôt avec huit ans de musique pro (jazz).
• Puis faites rissoler quinze ans, à mi-temps, dans une entreprise agricole du sud-ouest (kiwis et maïs).
• Incorporez alors un bel enfant – épépiné.
• Enfin, retirez du milieu agricole, égouttez, et laissez reposer dans le moule de la littérature jeunesse (auteur, lecteur, intervenant éditorial).
Assaisonnement : quelques pincées de poivre et sel, forcément…

Démoulez, c'est prêt.

Suggestion d'accompagnement : un vieux porto ou un xérès très sec.

Comment réussir le Gaëtan Dorémus

• Choisissez un natif de Lille (année 1976) acclimaté en Alsace.
• Faites-le macérer encore tendre aux Arts Déco de Strasbourg.
• Dès l'obtention du diplôme (option illustration), changez de récipient et laissez tremper dans la marinade de l'édition jeunesse (illustrateur et auteur, nombreuses productions d'albums en France et ailleurs, sélections, consécrations, expos). Épices pour la marinade : activités associatives, culturelles et politiques, ateliers, conférences, voyages…
• Faites-le revenir aux Arts Déco de Strasbourg en tant qu'enseignant.
• Ajoutez en cours de préparation deux enfants ravissants.

Conseil : servez en petites tranches, mais copieusement ; le plat est très digeste.

Suggestion gourmande : accompagnez le Gaëtan Dorémus d'un Tokay bien frappé.

Vous avez aimé

UNE HISTOIRE À TOUTES LES SAUCES

Découvrez, du même auteur...

La loi du roi Boris

Ill. de Catherine Meurisse

À partir de 11 ans

Sa Majesté Boris III, roi du Poldovo, s'embête. Quoi de mieux pour s'occuper qu'une bonne guerre ? Et voilà que les hostilités sont engagées... contre une malheureuse lettre de l'alphabet ! Une joyeuse plaisanterie ? Hélas, l'application pointilleuse de la loi du roi Boris mène vite le Poldovo au chaos. Mais la résistance s'organise...

Dépôt légal : janvier 2014 – N° d'éditeur : 10197953
Imprimé en France. - JOUVE, 1, rue du Docteur Sauvé, 53100 MAYENNE
N° 2837358Z - Réimpression : janvier 2019